全方法硬笔楷书教程
——汉字的结构规则

吉建忠　编著

电子工业出版社
Publishing House of Electronics Industry
北京·BEIJING

内 容 简 介

本书是关于硬笔书法练习的初级教程，由浅至深、易学易懂。内容上有全方法练习、笔顺笔画常识、字体演变、文学常识等，此外，还有书法评分体系，便于自学。全书依照汉字的结构规则，即重心平衡、主笔突出、左右结构、上下结构、包围结构等合体字进行讲解和练习。用手机扫描书中的二维码还可观看例字讲解视频。

本书适合所有年龄段的学习者使用。

图书在版编目（CIP）数据

全方法硬笔楷书教程：汉字的结构规则 / 吉建忠编著. —北京：电子工业出版社，2017.2
ISBN 978-7-121-30901-4

Ⅰ.①全… Ⅱ.①吉… Ⅲ.①楷书 – 硬笔书法 – 教材 Ⅳ.①J292.12

中国版本图书馆CIP数据核字（2017）第022366号

策划编辑：张贵芹 刘 芳
责任编辑：张贵芹
文字编辑：刘 芳
印　　刷：北京虎彩文化传播有限公司
装　　订：北京虎彩文化传播有限公司
出版发行：电子工业出版社
　　　　　北京市海淀区万寿路173信箱　　邮编　100036
开　　本：787×1092　1/16　印张：4　字数：80千字
版　　次：2017年2月第1版
印　　次：2021年5月第11次印刷
定　　价：32.50元

习字口诀

日正肩正身亦正，　手指平齐要放松。
由轻至重皆顿笔，　由慢至快出尖锋。
横要倾斜长竖垂，　同类笔画是平行。
结点之间应等距，　竖在字尾针露通。
撇捺本是弱笔画，　若想硬直少弧形。
短撇快写竖撇正，　撇短捺长下方沉。
组合相向相背点，　左部均为短小轻。
折画应在折顿笔，　短折内收长折垂。
空口应是横托竖，　满口却是竖包横。
竖弯圆转不倾斜，　钩提均是重到轻。
弯钩似弓卧似表，　横斜钩直后方倾。
重心平衡最关键，　主笔突出是点睛。
笔画遇阻应收短，　结构紧凑巧而精。
左旁小者齐其上，　右旁小者齐其足。
左右相同左方小，　上下相同上部轻。
笔画少者应缩小，　勿把一字写二家。
笔画稀疏贴繁冗，　穿插避让却是佳。
篆书象形难辨认，　铁画银钩字狭长。
蚕头雁尾唯隶书，　字形略扁左右张。
行草转折多圆笔，　游丝引带勿慌忙。
草书笔顺常变化，　省略替代心中藏。
楷书结字最中正，　草贵圆来楷贵方。
法度严谨勿急躁，　勤为主宰乐为梁。
愿君深谙习字诀，　书法要义走四方。

目录

第一章　重点规则的运用

第一讲　重心平衡

本章主要介绍汉字结构的两大重要规则——重心平衡和主笔突出。

重心平衡是单个汉字端正的关键，如不能把握汉字的重心平衡，即使笔法至精也会功亏一篑。汉字当中的长竖，独体字、上下结构、上中下结构的中心线，往往构成了单个字的重心线，应做到长竖垂直、重心线对齐。

习字口诀：重心平衡最关键，主笔突出是点睛。

范字讲解标注：■主笔　■重心线　■平行线　■■■■■等距线　■对齐线/辅助线　∠S 角度相似

 ### 独体字的重心平衡

"万"：重心线连接垂线的点是横的二分之一、撇和横折钩的起笔以及钩的起笔，如左方蓝线。

 ### 上下结构的重心平衡

"分"：捺的起笔、横的二分之一（撇的起笔）、钩的起笔连接垂线构成本字的重心线。

 ### 独体字的重心平衡

"子"：上下两横的二分之一、弯钩的起笔、钩的起笔构成本字的重心线。

 ### 上下结构的重心平衡

"光"：竖、横的二分之一、竖弯钩的竖构成本字的重心线。

 ### 上下结构的重心平衡

"各"：短撇和横的交点、撇和捺的交点、口的左右二分之一构成本字的重心线。

 ### 左右结构的重心平衡

"皱"：左右结构应分别去找重心。左部门为短撇的起点、横撇收笔处、三横的二分之一；右部门竖撇的竖为独立重心，竖、横的1/2、撇捺的交点为重心。

 ### 较复杂上下结构的重心平衡

"舞"：虽为上下结构，但下方亦有左右结构，故应用下方部门多者对齐上方，如左方蓝线（重心线）所示。

 ### 思考题：

请结合上面例字的规则，按照图示讲讲本字的规则运用、笔顺及重心。

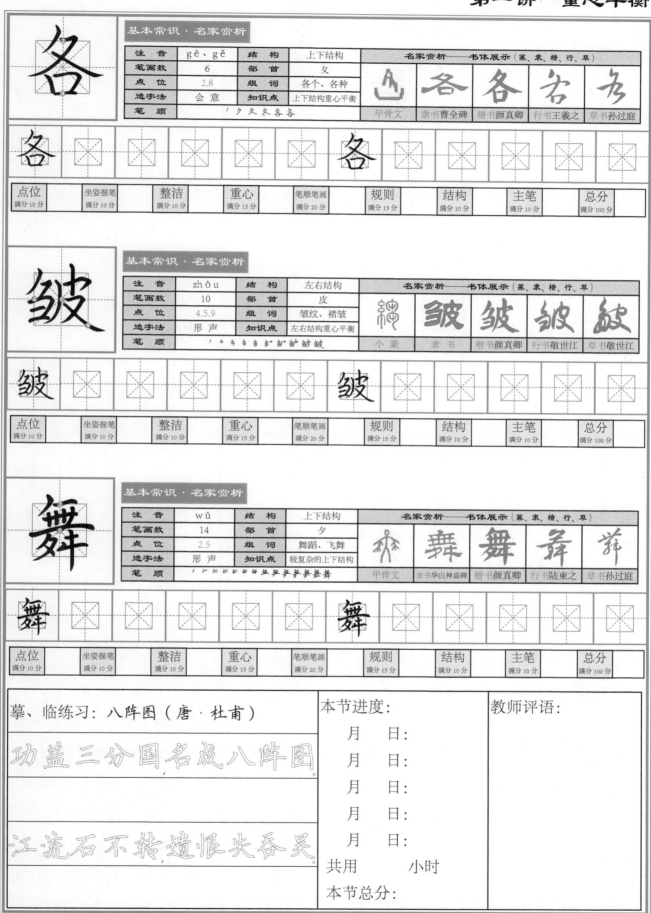

基本常识·名家赏析

注　音	gè、gě	结　构	上下结构
笔画数	6	部　首	夂
点　位	2.8	组　词	各个、各种
造字法	会意	知识点	上下结构重心平衡
笔　顺	ノ ク 夂 夂 各 各		

名家赏析——书体展示（篆、隶、楷、行、草）
甲骨文　隶书曹全碑　楷书颜真卿　行书王羲之　草书孙过庭

点位 满分10分	坐姿握笔 满分10分	整洁 满分10分	重心 满分15分	笔顺笔画 满分20分	规则 满分15分	结构 满分10分	主笔 满分10分	总分 满分100分

基本常识·名家赏析

注　音	zhòu	结　构	左右结构
笔画数	10	部　首	皮
点　位	4.5.9	组　词	皱纹、褶皱
造字法	形声	知识点	左右结构重心平衡
笔　顺	ノ ノ ㇆ 乡 乡 纟 纱 纱 绉 皱 皱		

名家赏析——书体展示（篆、隶、楷、行、草）
小篆　隶书　楷书颜真卿　行书敬世江　草书敬世江

点位 满分10分	坐姿握笔 满分10分	整洁 满分10分	重心 满分15分	笔顺笔画 满分20分	规则 满分15分	结构 满分10分	主笔 满分10分	总分 满分100分

基本常识·名家赏析

注　音	wǔ	结　构	上下结构
笔画数	14	部　首	夕
点　位	2.5	组　词	舞蹈、飞舞
造字法	形声	知识点	较复杂的上下结构
笔　顺	ノ 𠂉 二 三 年 缶 缶 舞 舞 舞 舞 舞 舞 舞		

名家赏析——书体展示（篆、隶、楷、行、草）
甲骨文　隶书华山神庙碑　楷书颜真卿　行书陆柬之　草书孙过庭

点位 满分10分	坐姿握笔 满分10分	整洁 满分10分	重心 满分15分	笔顺笔画 满分20分	规则 满分15分	结构 满分10分	主笔 满分10分	总分 满分100分

摹、临练习：八阵图（唐·杜甫）

功盖三分国，名成八阵图。

江流石不转，遗恨失吞吴。

本节进度：

月　日：

月　日：

月　日：

月　日：

月　日：

共用　　　小时

本节总分：

教师评语：

万

分

子

光

各

皱

舞

凌

注：本册将去除"大格双钩法"及"笔顺描点法"，添加"大字格点位法"，意在考验学员认真和掌握的程度。

万　万　万　万　万　万

分　分　分　分　分　分

子　子　子　子　子　子

光　光　光　光　光　光

各 各 各 各 各 各

各

各

各

皱 皱 皱 皱 皱 皱

皱

皱

皱

舞 舞 舞 舞 舞 舞

舞

舞

舞

凌 凌 凌 凌 凌 凌

凌

凌

凌

第二讲　主笔突出

　　主笔突出，即在某个汉字中对其主要的笔画进行重点突出。汉字的书写应像作文一样有主有次，笔画长短呼应、突出重点——故应使主笔愈发突出。

　　在独体字中，最长最大的笔画、承上启下的笔画、决定重心的笔画以及最后一笔均有可能成为该字的主笔；合体字中往往以其主体结构为所谓的"主笔"，各偏旁中应适用独体字的规则找出该偏旁部首的主笔。确定主笔的方法应看其是否有画龙点睛、承上启下、控制重心的作用。

　　习字口诀：重心平衡最关键，主笔突出是点睛。

　　范字讲解标注：■主笔　■重心线　■平行线　■■■■等距线　■对齐线/辅助线　∠s 角度相似

长横突出
　　"丁"：横左右并无阻隔，故横是主笔，应使横愈发伸长。

中竖突出
　　"中"：中竖上下无阻隔，应为主笔，且为该字的重心。应使书写内容位于中竖腰线上方。

撇突出
　　"在"：撇为主笔且明显长于上横。本字的重心线为左竖和右竖分别与上横的左右两端对齐，尤应注意"土"不可过于向左。

横突出
　　"有"：横为主笔，长于撇画。

横短折突出
　　"而"：横折钩为主笔，且钩的纬度应明显低于左侧短竖(钩长竖短)。

横长折突出
　　"月"：横折钩为主笔，钩在左侧竖撇的下方起笔。重心线为左右二竖(须垂直)。

斜钩突出
　　"成"：斜钩为主笔，应明显长出本字。斜钩不可过弯，过弯会使本字显得软弱无力；亦不可过直，过直会让本字突兀。

思考题：
　　请结合上面例字的规则，按照图示讲讲本字的规则运用、笔顺、重心和主笔。

基本常识·名家赏析				名家赏析——书体展示（篆、隶、楷、行、草）				
注音	dīng	结构	独体					
笔画数	2	部首	一					
点位	2.3.8	组词	园丁、丁香					
造字法	象形	知识点	长横突出					
笔顺		一 丁		甲骨文	隶书赵宽碑	楷书褚遂良	行书米芾	草书怀素

点位	坐姿握笔	整洁	重心	笔顺笔画	规则	结构	主笔	总分
满分10分	满分10分	满分10分	满分15分	满分20分	满分15分	满分10分	满分10分	满分100分

基本常识·名家赏析				名家赏析——书体展示（篆、隶、楷、行、草）				
注音	zhōng, zhòng	结构	独体					
笔画数	4	部首	丨					
点位	2.3.5.8	组词	中国、中肯					
造字法	指事	知识点	中竖突出					
笔顺		丨 冂 口 中		甲骨文	隶书衡方碑	楷书颜真卿	行书敬世江	草书包世臣

点位	坐姿握笔	整洁	重心	笔顺笔画	规则	结构	主笔	总分
满分10分	满分10分	满分10分	满分15分	满分20分	满分15分	满分10分	满分10分	满分100分

基本常识·名家赏析				名家赏析——书体展示（篆、隶、楷、行、草）				
注音	zài	结构	半包围结构					
笔画数	6	部首	土					
点位	2.8.9	组词	存在、在乎					
造字法	形声	知识点	撇突出					
笔顺		一 ナ 才 木 在 在		甲骨文	隶书礼器碑	楷书欧阳询	行书唐寅	草书李世民

点位	坐姿握笔	整洁	重心	笔顺笔画	规则	结构	主笔	总分
满分10分	满分10分	满分10分	满分15分	满分20分	满分15分	满分10分	满分10分	满分100分

基本常识·名家赏析				名家赏析——书体展示（篆、隶、楷、行、草）				
注音	yǒu, yòu	结构	半包围结构					
笔画数	6	部首	月					
点位	2.3.5	组词	有利、拥有					
造字法	会意	知识点	横突出					
笔顺		一 ナ 有 有 有 有		甲骨文	隶书曹全碑	楷书颜真卿	行书王羲之	草书武则天

点位	坐姿握笔	整洁	重心	笔顺笔画	规则	结构	主笔	总分
满分10分	满分10分	满分10分	满分15分	满分20分	满分15分	满分10分	满分10分	满分100分

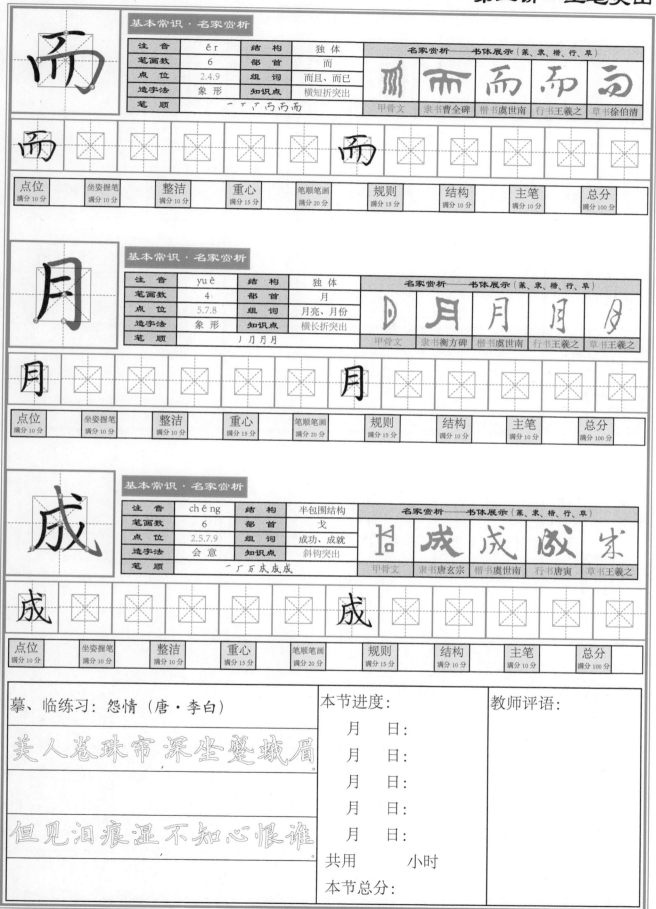

基本常识·名家赏析

注音	ér	结构	独体
笔画数	6	部首	而
点位	2.4.9	组词	而且、而已
造字法	象形	知识点	横短折突出
笔顺	一ナ厂厅而而		

名家赏析——书体展示（篆、隶、楷、行、草）

甲骨文　隶书曹全碑　楷书虞世南　行书王羲之　草书徐伯清

点位 满分10分	坐姿握笔 满分10分	整洁 满分10分	重心 满分15分	笔顺笔画 满分20分	规则 满分15分	结构 满分10分	主笔 满分10分	总分 满分100分

基本常识·名家赏析

注音	yuè	结构	独体
笔画数	4	部首	月
点位	5.7.8	组词	月亮、月份
造字法	象形	知识点	横长折突出
笔顺	丿刀月月		

名家赏析——书体展示（篆、隶、楷、行、草）

甲骨文　隶书衡方碑　楷书虞世南　行书王羲之　草书王羲之

点位 满分10分	坐姿握笔 满分10分	整洁 满分10分	重心 满分15分	笔顺笔画 满分20分	规则 满分15分	结构 满分10分	主笔 满分10分	总分 满分100分

基本常识·名家赏析

注音	chéng	结构	半包围结构
笔画数	6	部首	戈
点位	2.5.7.9	组词	成功、成就
造字法	会意	知识点	斜钩突出
笔顺	一厂厂成成成		

名家赏析——书体展示（篆、隶、楷、行、草）

甲骨文　隶书唐玄宗　楷书虞世南　行书唐寅　草书王羲之

点位 满分10分	坐姿握笔 满分10分	整洁 满分10分	重心 满分15分	笔顺笔画 满分20分	规则 满分15分	结构 满分10分	主笔 满分10分	总分 满分100分

摹、临练习：怨情（唐·李白）

美人卷珠帘深坐蹙蛾眉

但见泪痕湿不知心恨谁

本节进度：

月　日：

月　日：

月　日：

月　日：

月　日：

共用　　　小时

本节总分：

教师评语：

丁

中

在

有

而

月

成

迁

丁

丁

丁

中

中

中

在

在

在

有

有

有

而　而　而　而　而　而

而

而

而　　　　　　　　而　而

月　月　月　月　月　月

月

月

月　　　　　　　　月　月

成　成　成　成　成　成

成

成

成　　　　　　　　成　成

迁　迁　迁　迁　迁　迁

迁

迁

迁　　　　　　　　迁　迁

第二章　部首与结体布局

第三讲　汉字的部首

定　义

部首，字典为了给汉字分类而确定的字类标目，是从分析字型的结构产生的。具有字型归类作用的偏旁，是字典中各部的首部件。

部首的范围小于偏旁的范围。部首的概念和偏旁不同，可以说，一个字中所有的部件都可以称作"偏旁"。而部首之外的偏旁不能称为"部首"。

规　律

1. 独体字：查自己，不是部首查起笔。　　2. 形声字：查形旁或声旁。

溯　源

部首，为东汉许慎首创。他在《说文解字》中把形旁相同的字归在一起，称为部，每部把共同所从的形旁字列在开头，这个字就称为部首。如木、杜、李等字都属木部，木就是部首。自许慎创立以形旁编排文字的方法以后，这种方法千百年来一直为编纂字书的人所采用，只是分部的多寡有所不同，如《说文解字》分为 540 部，《康熙字典》分为 214 部。

部首是将汉字里共通可见的相同偏旁，作为汉字分类的基准，所有汉字势必分类在某个部首中。部首的概念源于东汉许慎所著的《说文解字》（成书于公元 100 年），从此使用部首作为汉字的检字方式成为一般的习惯。第一个采用部首作为汉字分类的是《说文解字》。《说文解字》将小篆的汉字分类在 540 个部首里，并将这些汉字的造字原理归类成"象形、指事、会意、形声、转注、假借"等六书的原理加以说明。

简　化

大部分汉字简化是整个部首一起调整，无碍其部首变化。但也有某些字简化后部首完全消失，此时势必进行部首的调整，但调整后的部首多半只是选择相近字型，会增加一定的检索难度。如"发（癶部）"与"发（髟部）"的简化字作"发"，只好归为"又部"；"電"本属"雨部"，但简化字省去雨字旁，变成了"电"，只好归"丨部"。

变　形

一些部首会因其所在位置的不同而改变形态，如"心部"作为左旁时（如"情、性、憎"）会变形为"忄"，称为"竖心旁"；放在文字下方时，有"志、慕"两种外形，但这些变化都不妨碍其归入"心部"。

汉字的部首（未收录繁体部首）

一 画	一 丨 丿 丶 乛
二 画	十 厂 匚 卜 刂 卜 冂 亻 广 八 人 入 勹 刀 勹 几 儿 匕 几 亠 冫 丷 冖 讠 凵 阝(在左)
	阝(在右) 刀 力 又 厶 廴 巳
三 画	干 工 土 士 扌 艹 寸 廾 大 兀 尢 弋 小 宀 口 囗 山 巾 彳 彡 犭 夕 夂 饣 丬 广 门 氵 忄
	宀 辶 彐 彐 尸 己 已 巳 弓 子 屮 女 飞 马 互 纟 幺 巛
四 画	王 无 韦 耂 木 朩 支 犬 歹 车 牙 戈 旡 比 瓦 止 攴 灬 曰 日 曰 月 贝 水 见 牛 手 手 气
	毛 攵 长 片 斤 爪 父 爫 月 氏 欠 风 殳 文 方 火 斗 灬 户 礻 心 肀 爿 毋
五 画	玉 示 甘 石 龙 业 水 目 田 罒 皿 钅 生 矢 禾 白 瓜 鸟 疒 立 穴 衤 正 疋 皮 癶 矛 母
六 画	耒 老 耳 臣 覀 而 页 至 虍 虫 肉 缶 舌 竹 臼 自 血 舟 色 齐 衣 羊 羊 羊 米 聿 艮 羽 糸
七 画	麦 镸 走 赤 豆 酉 辰 豕 卤 里 趾 足 邑 身 豸 釆 谷 豸 龟 角 言 辛
八 画	青 卓 雨 非 齿 虎 黾 隹 阜 金 鱼 隶
九 画	革 面 韭 骨 香 鬼 食 音 首
十 画	髟 鬲 高
十一画	黄 麻 鹿
十二画	鼎 黑 黍
十三画	鼓 鼠
十四画	鼻
十七画	龠

冫	要点："提"指向"点"的末端。 笔顺：丶 冫	冫	⊠	⊠	⊠	⊠	⊠	⊠	⊠
人	要点："捺"变为"点"。 笔顺：丿 人	人	⊠	⊠	⊠	⊠	⊠	⊠	⊠
十	要点："横"在上部，左长右短。 笔顺：一 十	十	⊠	⊠	⊠	⊠	⊠	⊠	⊠
阝	要点：耳刀在左，上大下小。 笔顺：丨 阝	阝	⊠	⊠	⊠	⊠	⊠	⊠	⊠
亻	要点：略窄，"竖"须正直。 笔顺：丿 亻	亻	⊠	⊠	⊠	⊠	⊠	⊠	⊠
讠	要点："竖"要直以正重心。 笔顺：丶 讠	讠	⊠	⊠	⊠	⊠	⊠	⊠	⊠
又	要点："捺"变为"点"。 笔顺：フ 又	又	⊠	⊠	⊠	⊠	⊠	⊠	⊠
彳	要点：两撇平行，上短下长。 笔顺：丿 彳 彳	彳	⊠	⊠	⊠	⊠	⊠	⊠	⊠
工	要点：末横变提，中竖要直。 笔顺：一 丅 工	工	⊠	⊠	⊠	⊠	⊠	⊠	⊠
口	要点：略小，一般放在字的左上方。 笔顺：丨 口 口	口	⊠	⊠	⊠	⊠	⊠	⊠	⊠
山	要点：比独体字倾斜，中竖要直。 笔顺：丨 山 山	山	⊠	⊠	⊠	⊠	⊠	⊠	⊠
氵	要点：中点略偏左。 笔顺：丶 冫 氵	氵	⊠	⊠	⊠	⊠	⊠	⊠	⊠
土	要点：末横变提，中竖要直。 笔顺：一 十 土	土	⊠	⊠	⊠	⊠	⊠	⊠	⊠
忄	要点：左点在右点下方。 笔顺：丶 丷 忄	忄	⊠	⊠	⊠	⊠	⊠	⊠	⊠
扌	要点：左偏旁之竖皆为垂露。 笔顺：丶 冫 扌	扌	⊠	⊠	⊠	⊠	⊠	⊠	⊠
夕	要点：两撇平行，上小下大。 笔顺：丿 ク 夕	夕	⊠	⊠	⊠	⊠	⊠	⊠	⊠

⊠	⊠	⊠	⊠		⊠	⊠	⊠	⊠	⊠

字	要点及笔顺	练习							
仓	要点：竖要直，且对正撇与横交点。 笔顺：丿 ㇇ 仑	仓							
扌	要点：左部长、右部短。 笔顺：一 十 扌	扌							
女	要点："横"左长，"点"往下探。 笔顺：く 夂 女	女							
孑	要点：末"横"变为提，且左边长。 笔顺：乛 了 孑	孑							
巾	要点："竖"为垂露，整体变窄。 笔顺：丶 冂 巾	巾							
丝	要点：同名称笔画应尽量保持平行。 笔顺：乚 纟 丝	丝							
犭	要点：撇平行，"弯钩"不宜过弯。 笔顺：丿 犭 犭	犭							
弓	要点：同名称平行，且整体变窄。 笔顺：乛 コ 弓	弓							
马	要点：整体变窄，末"横"变"提"。 笔顺：乛 马 马	马							
火	要点：整体变窄，末"捺"变"点"。 笔顺：丶 丷 少 火	火							
木	要点：整体变窄，末"捺"变"点"。 笔顺：一 十 才 木	木							
牛	要点：横变提，与独体字笔顺不同。 笔顺：丿 ㇀ 牜 牛	牛							
日	要点：整体变窄，左右两竖须正直。 笔顺：丨 冂 日 日	日							
礻	要点：中竖对正上点，使重心平衡。 笔顺：丶 ㇇ 礻 礻	礻							
王	要点：末横变提，应叫"玉字旁"。 笔顺：一 二 干 王	王							
车	要点：横变提，与独体字笔顺不同。 笔顺：一 土 车 车	车							

金	要点：中竖要直，左长右短。 笔顺：ノ 入 ㅅ 乍 全 金	金						
立	要点：末"横"变"提"，整体变窄。 笔顺：丶 亠 六 亣 立	立						
目	要点：左右两竖须正直，横愈倾斜。 笔顺：丨 冂 冃 目 目	目						
鸟	要点：整体变窄，"横"变为"提"。 笔顺：ノ 勹 勺 鸟 鸟	鸟						
矢	要点："捺"变为"点"。 笔顺：ノ 𠂉 ㅗ 午 矢	矢						
衤	要点：中竖对正上点，使重心平衡。 笔顺：丶 ㇇ 礻 衤 衤	衤						
自	要点：左右两竖须正直，横愈倾斜。 笔顺：ノ 亻 𠂤 白 自	自						
禾	要点：整体变窄，"捺"变"点"。 笔顺：ノ 二 千 禾 禾	禾						
米	要点：整体变窄，中竖须直。 笔顺：丶 丷 ㅛ 半 米 米	米						
舌	要点：整体变窄，中竖须直。 笔顺：ノ 二 千 千 舌 舌	舌						
虫	要点：整体变窄，中竖须直。 笔顺：丶 口 口 中 虫 虫	虫						
耳	要点：整体变窄，左右两竖须正直。 笔顺：一 丆 丌 刵 耳 耳	耳						
缶	要点：整体变窄，中竖须直。 笔顺：ノ 𠂉 ㅗ 午 告 缶	缶						
舟	要点：整体变窄，左右两竖须正直。 笔顺：ノ 𠃋 月 月 舟 舟	舟						
豆	要点：末"横"变"提"，整体变窄。 笔顺：一 ㇕ 百 豆 豆 豆	豆						
身	要点：末"横"变"提"，整体变窄。 笔顺：ノ 亻 𠂊 身 身 身 身	身						

豸	要点："弯钩"不宜过弯。 笔顺：一一一一一	
足	要点：整体略窄。 笔顺：丶口口旦足足足足	
革	要点：末"横"变"提"，整体变窄。 笔顺：一十廿廿廿苦苦苦革	
刂	要点："竖"要正直。 笔顺：丨刂	
卩	要点："竖"要正直。 笔顺：乛卩	
阝	要点：耳刀在右，上小下大。 笔顺：阝阝	
彡	要点：上两撇长度一致，且平行。 笔顺：丿彡彡	
夂	要点：撇横交点约与撇捺交点对正。 笔顺：丿卜夂夂	
丷	要点：左低右高、左短右长。 笔顺：丶丷	
冖	要点：尽量盖住下方。 笔顺：丶冖	
人	要点：略扁，且尽量盖住下方。 笔顺：丿人	
十	要点：略扁。 笔顺：一十	
亠	要点：尽量盖住下方。 笔顺：丶亠	
口	要点：略扁。 笔顺：丨冂口	
廿	要点：竖短撇长，注意笔顺。 笔顺：一十廿	
大	要点：略扁，且尽量盖住下方。 笔顺：一ナ大	

宀	要点：略扁，读音"mián头"。 笔顺：丶 丷 宀	宀						
士	要点：略扁。 笔顺：一 十 士	士						
屮	要点：略扁，且尽量盖住下方。 笔顺：丨 丨 丨 屮 屮	屮						
夂	要点：尽量盖住下方。 笔顺：丿 夂 夂	夂						
丗	要点：略扁。 笔顺：一 十 廿 丗	丗						
廿	要点：略扁，须注意笔顺。 笔顺：一 十 廿 廿	廿						
父	要点：略扁，且尽量盖住下方。 笔顺：丶 丷 夕 父	父						
皿	要点：略扁。 笔顺：丿 丩 丩 皿	皿						
步	要点：中竖须正直，撇不能过斜。 笔顺：一 十 土 步	步						
夫	要点：尽量盖住下方。 笔顺：一 二 三 声 夫	夫						
四	要点：略扁，且盖住下方主体部分。 笔顺：丶 冂 四 四 四	四						
穴	要点：略扁，且尽量盖住下方。 笔顺：丶 丷 宀 穴 穴	穴						
癶	要点：须盖住下方。 笔顺：フ 丬 丬 丬 癶	癶						
西	要点：略扁。 笔顺：一 丆 冂 两 两 西	西						
竹	要点：略扁，左小右大。 笔顺：丿 丨 丿 丿 竹 竹	竹						
雨	要点：略扁，且尽量盖住下方。 笔顺：一 丆 冂 雨 雨 雨 雨 雨	雨						

八	要点：略扁，且尽量盖住下方。 笔顺：丿 八	八						
灬	要点：应托住上方。 笔顺：丶 丶 灬 灬	灬						
小	要点：注意重心，右两点左小右大。 笔顺：丿 亅 小 小	小						
巛	要点：注意重心，宜正不宜斜。 笔顺：巜 巜 巛	巛						
疒	要点：应大致包住整字的主体内容。 笔顺：丶 二 广 广 疒	疒						
羊	要点：应大致包住整字的主体内容。 笔顺：丶 丷 丷 兰 兰 羊	羊						
虍	要点：应大致包住整字的内容。 笔顺：丨 卜 上 广 虍 虍	虍						
廴	要点：第二个折应向下。音yǐn。 笔顺：乛 廴	廴						
辶	要点：第二个"折"应向下方。 笔顺：丶 辶 辶	辶						
爪	要点：变窄，"捺"伸长托住内容。 笔顺：丿 厂 爪 爪	爪						
毛	要点：主干窄，"钩"伸长托住内容。 笔顺：丿 二 三 毛	毛						
走	要点：主干窄，"捺"伸长托住内容。 笔顺：一 十 土 + 走 走 走	走						
鬼	要点：主干窄，"钩"伸长托住内容。 笔顺：丿 亻 甶 甶 白 甶 鬼 鬼 鬼	鬼						
匚	要点：上短下长。 笔顺：一 匚	匚						
冂	要点：两竖须正直，左竖稍短。 笔顺：丨 冂	冂						
口	要点："满口"竖包横，两竖要直。 笔顺：丨 冂 口	口						

第四讲　左右结构

　　本章开始学习合体字的结字规则。在合体字中，除了中宫紧凑以外，也应做到各部门收放合理、排列有序。

　　左右结构讲究穿插避让之美，本节将针对左右结构的穿插、迎让、笔画变形、各部门的排列位置和形态做出示范讲解。

　　各部门大小的原则：1. 一般来讲，在形声字里，部首应比主干小。2. 无阻隔的笔画应长，如"申"上下无阻隔，故应竖长；亦如"工"左右无阻隔，则应横长；"土"左右无阻隔，下有阻隔，故应横长竖短；"口"四面阻隔，应整体放小。

　　要领：笔画相对复杂或无阻隔的部门相对较大。

　　范字讲解标注： ▨ 小部门　▨ 大部门

左右结构——左右相同

　　"双"：左右部门相同者，应左小右大。左右相同的字如：林、非、赫、从、朋、弱等。

左右结构——左窄右宽

　　"折"：左窄右宽者（笔画稀疏应变小变窄），窄部门的宽度应为宽部门的二分之一（左宽右窄的字亦是如此）。左窄右宽的字如：汉、把、该、伸、神、校、律、特、课等。

左右结构——左小上提

　　"峰"：左部门笔画稀疏且高度小的，应在本字中尽量上提。左小上提的字如：呼、研、明、鳄、皎、矫等。

左右结构——右窄下落

　　"却"：右部门笔画稀疏的应既窄（为左方宽度二分之一）又往下落。右窄下落的字如：郊、即、印、部等。

左右结构——右小下落

　　"知"：右部门笔画稀疏的应既窄（为左方宽度二分之一）又往下落。右小下落的字如：如、和等。

左右结构——左斜右正

　　"蚊"：左部门下方为横的，多变为"提"，故左部看似倾斜，但重心仍要保持中正。

左右结构——左斜右正

　　"经"：左部门下方本身为提的，左部也看似稍斜，但重心仍要保持中正。左斜右正的字如：坤、骑、驼、妙、端、珍、蛟、聩、缸、践等。

思考题：

　　请结合上面例字的规则，按照图示讲讲本字的各部门规则形态。

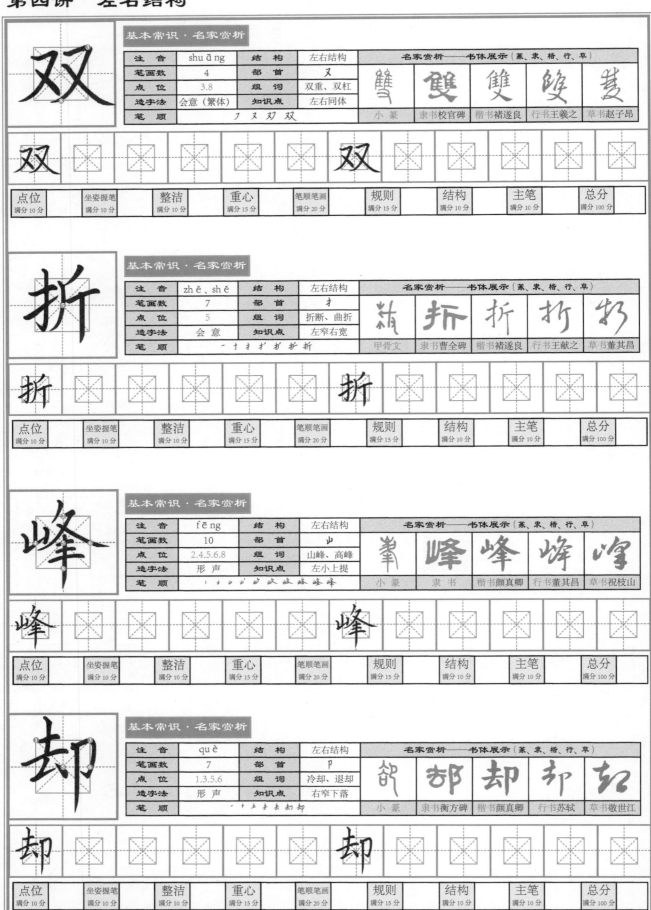

基本常识·名家赏析

注音	shuāng	结构	左右结构
笔画数	4	部首	又
点位	3.8	组词	双重、双杠
造字法	会意（繁体）	知识点	左右同体
笔顺	フ 又 双 双		

名家赏析——书体展示（篆、隶、楷、行、草）

小篆 / 隶书校官碑 / 楷书褚遂良 / 行书王羲之 / 草书赵子昂

点位 满分10分	坐姿握笔 满分10分	整洁 满分10分	重心 满分15分	笔顺笔画 满分20分	规则 满分15分	结构 满分10分	主笔 满分10分	总分 满分100分

基本常识·名家赏析

注音	zhē、shé	结构	左右结构
笔画数	7	部首	扌
点位	5	组词	折断、曲折
造字法	会意	知识点	左窄右宽
笔顺	一 十 扌 扩 折 折 折		

名家赏析——书体展示（篆、隶、楷、行、草）

甲骨文 / 隶书曹全碑 / 楷书褚遂良 / 行书王献之 / 草书董其昌

点位 满分10分	坐姿握笔 满分10分	整洁 满分10分	重心 满分15分	笔顺笔画 满分20分	规则 满分15分	结构 满分10分	主笔 满分10分	总分 满分100分

基本常识·名家赏析

注音	fēng	结构	左右结构
笔画数	10	部首	山
点位	2.4.5.6.8	组词	山峰、高峰
造字法	形声	知识点	左小上提
笔顺	丨 屮 山 山' 屮' 岐 峰 峰 峰 峰		

名家赏析——书体展示（篆、隶、楷、行、草）

小篆 / 隶书 / 楷书颜真卿 / 行书董其昌 / 草书祝枝山

点位 满分10分	坐姿握笔 满分10分	整洁 满分10分	重心 满分15分	笔顺笔画 满分20分	规则 满分15分	结构 满分10分	主笔 满分10分	总分 满分100分

基本常识·名家赏析

注音	què	结构	左右结构
笔画数	7	部首	卩
点位	1.3.5.6	组词	冷却、退却
造字法	形声	知识点	右窄下落
笔顺	一 十 土 去 去 却 却		

名家赏析——书体展示（篆、隶、楷、行、草）

小篆 / 隶书衡方碑 / 楷书颜真卿 / 行书苏轼 / 草书敬世江

点位 满分10分	坐姿握笔 满分10分	整洁 满分10分	重心 满分15分	笔顺笔画 满分20分	规则 满分15分	结构 满分10分	主笔 满分10分	总分 满分100分

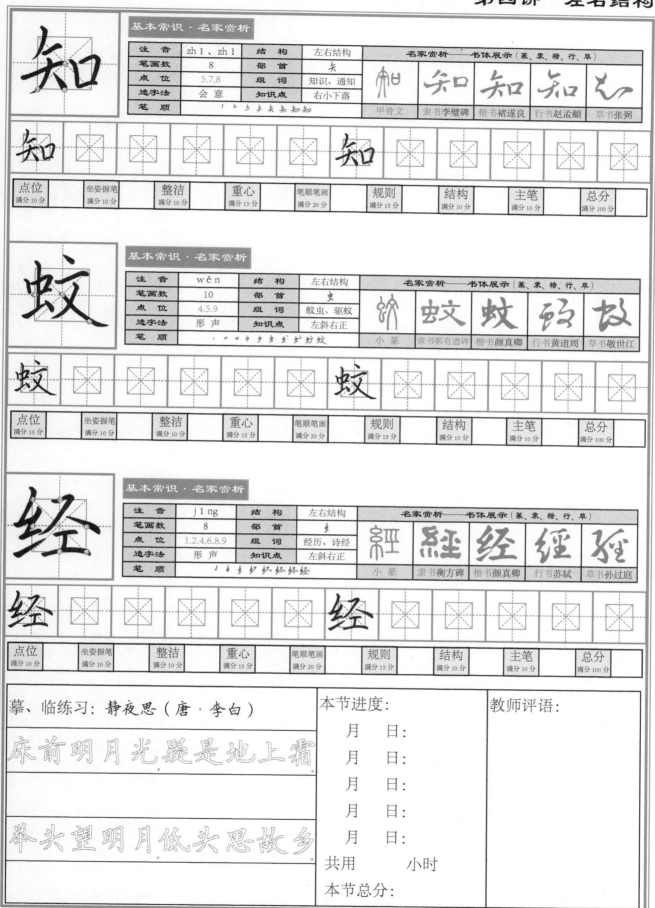

知

注音	zhī、zhì	结构	左右结构	名家赏析——书体展示（篆、隶、楷、行、草）
笔画数	8	部首	矢	
点位	5.7.8	组词	知识、通知	
造字法	会意	知识点	右小下落	
笔顺	丿 𠂉 二 午 矢 知 知 知			

甲骨文　隶书李璧碑　楷书褚遂良　行书赵孟頫　草书张弼

点位 满分10分	坐姿握笔 满分10分	整洁 满分10分	重心 满分15分	笔顺笔画 满分20分	规则 满分15分	结构 满分10分	主笔 满分10分	总分 满分100分

蚊

注音	wén	结构	左右结构	名家赏析——书体展示（篆、隶、楷、行、草）
笔画数	10	部首	虫	
点位	4.5.9	组词	蚊虫、驱蚊	
造字法	形声	知识点	左斜右正	
笔顺	丨 口 口 中 虫 虫 虫 虫 蚊 蚊			

小篆　隶书郭有道碑　楷书颜真卿　行书黄道周　草书敬世江

点位 满分10分	坐姿握笔 满分10分	整洁 满分10分	重心 满分15分	笔顺笔画 满分20分	规则 满分15分	结构 满分10分	主笔 满分10分	总分 满分100分

经

注音	jīng	结构	左右结构	名家赏析——书体展示（篆、隶、楷、行、草）
笔画数	8	部首	纟	
点位	1.2.4.6.8.9	组词	经历、诗经	
造字法	形声	知识点	左斜右正	
笔顺	乚 幺 纟 纟 纵 纵 经 经			

小篆　隶书衡方碑　楷书颜真卿　行书苏轼　草书孙过庭

点位 满分10分	坐姿握笔 满分10分	整洁 满分10分	重心 满分15分	笔顺笔画 满分20分	规则 满分15分	结构 满分10分	主笔 满分10分	总分 满分100分

摹、临练习：静夜思（唐·李白）

床前明月光，疑是地上霜。

举头望明月，低头思故乡。

本节进度：

月　　日：

月　　日：

月　　日：

月　　日：

月　　日：

共用　　　小时

本节总分：

教师评语：

双
折
峰
却
知
蚊
经
沐

双　双　双　双　双　双　　双

折　折　折　折　折　折　　折

峰　峰　峰　峰　峰　峰　　峰

却　却　却　却　却　却　　却

知
知
知

蚊
蚊
蚊

经
经
经

沐
沐
沐

第五讲　上下结构

　　上下结构讲究堆叠之美，应根据上下两部门的主次关系调整其宽窄、高矮、大小等。要领：笔画相对复杂或无阻隔的部门相对较大。　　范字讲解标注：▩ 小部门　▩ 大部门

上下结构——上宽下窄

　　"恭"：上部横向扩展，需覆盖下方部门，故作上宽下窄。上宽下窄的字如：容、恭、春、养、雪、登 等。

上下结构——上窄下宽

　　"盅"：下部横向扩展，需承载上方部门，故应上窄下宽（下宽上窄）。上窄下宽的字如：吴、至、志、烈、要 等。

上下结构——上长下扁

　　"否"：上部有横纵两向扩展的趋势，而下部为封闭状态，故应上大下小、上长下扁。上长下扁的字有：想、竖、整、密 等。

上下结构——上扁下长

　　"员"：下部有横纵两向扩展的趋势，而上部为封闭状态，故应上小下大、上扁下长。上扁下长的字有：李、华、简、芊、易 等。

上下结构——上下均等

　　"皇"：上下两部门的上下趋势均为封闭状态，且笔画繁冗相当，所以上下高度应一致；下部的最后一横为托住整个字，所以可延伸一些，其余的上下部门宽度一致，故本字的基本形态为"上下均等"。

上下结构——上下部门相同（上下同体）

　　"吕"：左让右、上让下是汉字的书写传统，上下相同、左右相同的字表现尤为突出，故上下相同的字应上小下大。上下相同的字有：炎、昌、多、圭、哥、二、出、串 等。

上下结构——变形同体

　　"冒"：本字并非上下同体，上为"曰"、下为"目"，故"曰"字扁，"目"字高。

思考题：

　　请结合上面例字的规则，按照图示讲讲本字的各部门规则形态。

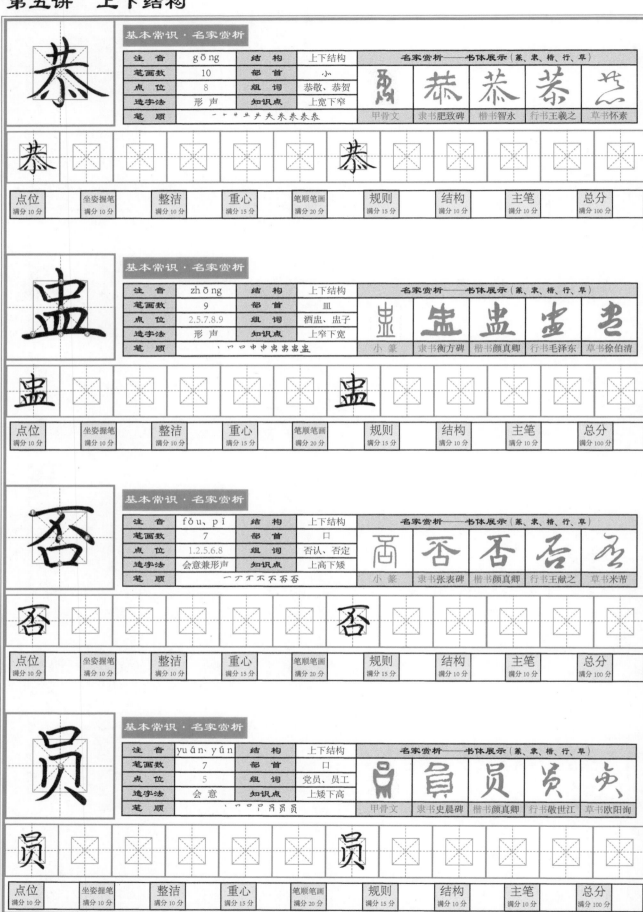

恭

基本常识·名家赏析			
注音	gōng	结构	上下结构
笔画数	10	部首	小
点位	8	组词	恭敬、恭贺
造字法	形声	知识点	上宽下窄
笔顺	一十卅共产夹恭恭恭恭		

名家赏析——书体展示（篆、隶、楷、行、草）

甲骨文　隶书肥致碑　楷书智永　行书王羲之　草书怀素

点位 满分10分	坐姿握笔 满分10分	整洁 满分10分	重心 满分15分	笔顺笔画 满分20分	规则 满分15分	结构 满分10分	主笔 满分10分	总分 满分100分

盅

基本常识·名家赏析			
注音	zhōng	结构	上下结构
笔画数	9	部首	皿
点位	2.5.7.8.9	组词	酒盅、盅子
造字法	形声	知识点	上窄下宽
笔顺	丶丶口中中虫虫虫盅		

名家赏析——书体展示（篆、隶、楷、行、草）

小篆　隶书衡方碑　楷书颜真卿　行书毛泽东　草书徐伯清

点位 满分10分	坐姿握笔 满分10分	整洁 满分10分	重心 满分15分	笔顺笔画 满分20分	规则 满分15分	结构 满分10分	主笔 满分10分	总分 满分100分

否

基本常识·名家赏析			
注音	fǒu、pǐ	结构	上下结构
笔画数	7	部首	口
点位	1.2.5.6.8	组词	否认、否定
造字法	会意兼形声	知识点	上高下矮
笔顺	一丁才不不否否		

名家赏析——书体展示（篆、隶、楷、行、草）

小篆　隶书张表碑　楷书颜真卿　行书王献之　草书米芾

点位 满分10分	坐姿握笔 满分10分	整洁 满分10分	重心 满分15分	笔顺笔画 满分20分	规则 满分15分	结构 满分10分	主笔 满分10分	总分 满分100分

员

基本常识·名家赏析			
注音	yuán、yún	结构	上下结构
笔画数	7	部首	口
点位	5	组词	党员、员工
造字法	会意	知识点	上矮下高
笔顺	丶丷口口曰员员		

名家赏析——书体展示（篆、隶、楷、行、草）

甲骨文　隶书史晨碑　楷书颜真卿　行书敬世江　草书欧阳询

点位 满分10分	坐姿握笔 满分10分	整洁 满分10分	重心 满分15分	笔顺笔画 满分20分	规则 满分15分	结构 满分10分	主笔 满分10分	总分 满分100分

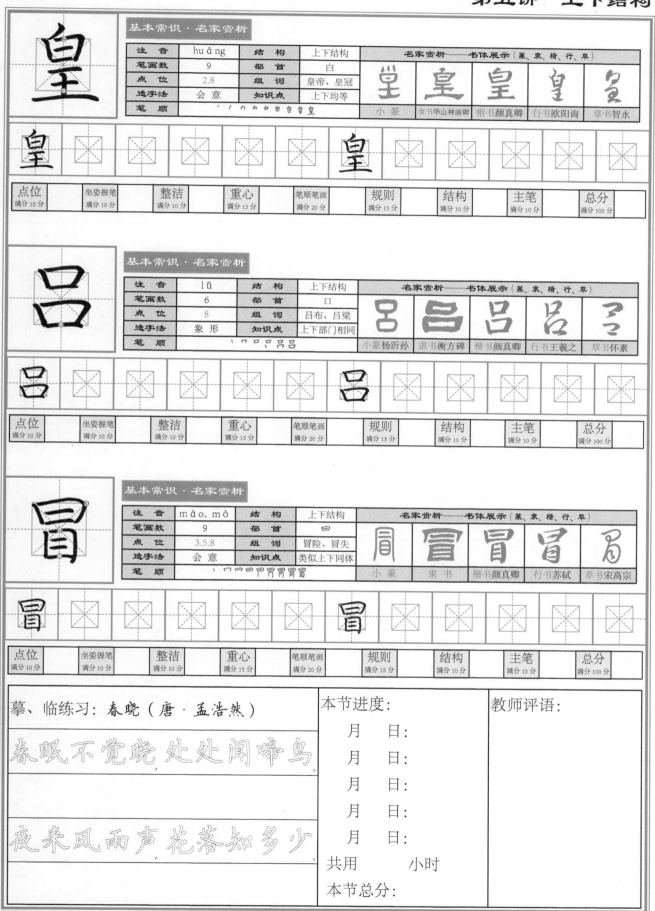

基本常识·名家赏析

注音	huáng	结构	上下结构
笔画数	9	部首	白
点位	2.8	组词	皇帝、皇冠
造字法	会意	知识点	上下均等
笔顺	′′′′ 白白白皇皇皇		

名家赏析——书体展示（篆、隶、楷、行、草）

小篆	隶书华山神庙碑	楷书颜真卿	行书欧阳询	草书智永

点位 满分10分	坐姿握笔 满分10分	整洁 满分10分	重心 满分15分	笔顺笔画 满分20分	规则 满分15分	结构 满分10分	主笔 满分10分	总分 满分100分

基本常识·名家赏析

注音	lǔ	结构	上下结构
笔画数	6	部首	口
点位	8	组词	吕布、吕梁
造字法	象形	知识点	上下部门相同
笔顺	′口口吕吕吕		

名家赏析——书体展示（篆、隶、楷、行、草）

小篆杨沂孙	隶书衡方碑	楷书颜真卿	行书王羲之	草书怀素

点位 满分10分	坐姿握笔 满分10分	整洁 满分10分	重心 满分15分	笔顺笔画 满分20分	规则 满分15分	结构 满分10分	主笔 满分10分	总分 满分100分

基本常识·名家赏析

注音	mào、mò	结构	上下结构
笔画数	9	部首	曰
点位	3.5.8	组词	冒险、冒失
造字法	会意	知识点	类似上下同体
笔顺	′口口曰曰冒冒冒冒		

名家赏析——书体展示（篆、隶、楷、行、草）

小篆	隶书	楷书颜真卿	行书苏轼	草书宋高宗

点位 满分10分	坐姿握笔 满分10分	整洁 满分10分	重心 满分15分	笔顺笔画 满分20分	规则 满分15分	结构 满分10分	主笔 满分10分	总分 满分100分

摹、临练习：春晓（唐·孟浩然）

春眠不觉晓 处处闻啼鸟

夜来风雨声 花落知多少

本节进度：

　　　月　　日：

　　　月　　日：

　　　月　　日：

　　　月　　日：

　　　月　　日：

共用　　　小时

本节总分：

教师评语：

恭
盅
否
员
皇
吕
冒
杰

恭 恭 恭

盅 盅 盅

否 否 否

员 员 员

皇

呂

冒

杰

第六讲　包围结构

　　包围结构的形态相对较多，有两面包围（左上包围、左下包围、右上包围），三面包围（上左下包围、左上右包围、左下右包围），全包围等。其中两面包围讲究不对称之美，同时要兼顾不对称的重心平衡。同时，被包围的内容要贴近外围结构，但又应保持内紧外松。

　　范字讲解标注：■ 平行线　　■ 对齐线 / 辅助线　　← 指示箭头

半包围结构——左上包围

　　"层"：被包内容应靠近包围框，故"云"应往左上靠，但云的非主干又应在右侧暴露一些，以保证本字的整体效果。左上包围的字如：原、席、扇、疾 等。

半包围结构——右上包围

　　"司"：被包内容往右上靠拢，且左侧稍出一些。
右上包围的字如：包、式 等。

半包围结构——左下包围

　　"还"："不"向左下靠拢，走之出尖锋的地方为右点的收笔处。
左下包围的字如：边、建、魁、赵、爬、毡 等。

半包围结构——上左下包围

　　"匪"："非"向左靠拢，下横稍伸出（满足上小下大的原则）。
上左下包围的字如：医、区、匡、巨、匠、匣、匝、匾 等。

半包围结构——左上右包围

　　"闲"："木"应在全字的重心线和腰线正中。本字应强化简体字的笔顺，并知道简体"门"字的由来。左上右包围的字如：凤、凰、凰、冈、同 等。

半包围结构——左下右包围

　　"函"：被包内容向下靠拢。
　　左下右包围的字如：凵、画 等。

全包围结构

　　"回"：中口居中，应注意本字重心，且应掌握"空口"与"满口"的处理。
全包围的字如：团、圆、国、围、困 等。

思考题：

　　请结合上面例字的规则，按照图示讲讲本字的各部门规则形态。

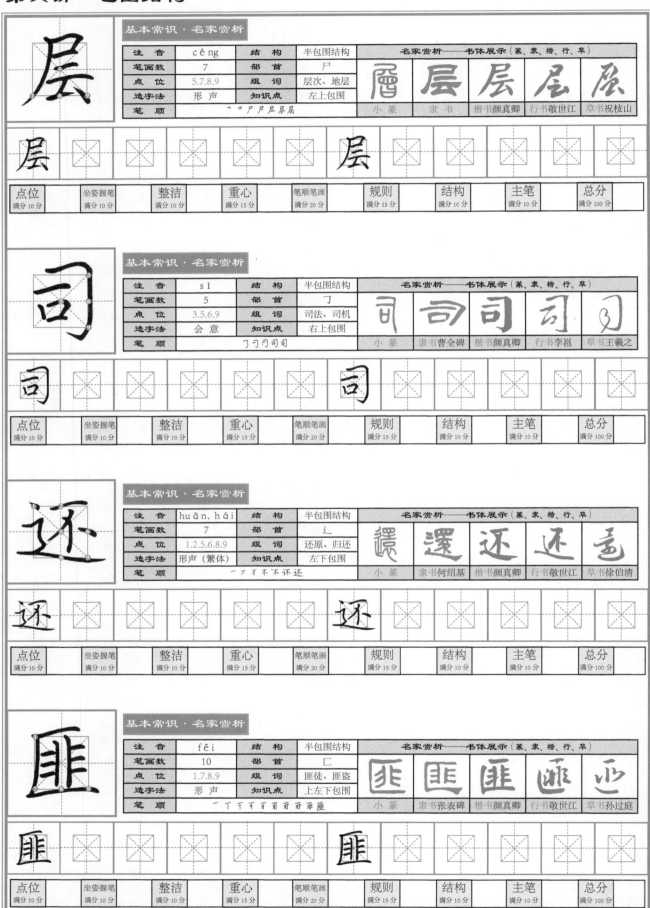

层

基本常识·名家赏析				
注音	céng	结构	半包围结构	
笔画数	7	部首	尸	
点位	5.7.8.9	组词	层次、地层	
造字法	形声	知识点	左上包围	
笔顺	フコア尸尸层层			

名家赏析——书体展示（篆、隶、楷、行、草）

層	层	层	层	层
小篆	隶书	楷书颜真卿	行书敬世江	草书祝枝山

点位 满分10分	坐姿握笔 满分10分	整洁 满分10分	重心 满分15分	笔顺笔画 满分20分	规则 满分15分	结构 满分10分	主笔 满分10分	总分 满分100分

司

基本常识·名家赏析				
注音	sī	结构	半包围结构	
笔画数	5	部首	丁	
点位	3.5.6.9	组词	司法、司机	
造字法	会意	知识点	右上包围	
笔顺	丁丁司司司			

名家赏析——书体展示（篆、隶、楷、行、草）

司	司	司	司	司
小篆	隶书曹全碑	楷书颜真卿	行书李邕	草书王羲之

点位 满分10分	坐姿握笔 满分10分	整洁 满分10分	重心 满分15分	笔顺笔画 满分20分	规则 满分15分	结构 满分10分	主笔 满分10分	总分 满分100分

还

基本常识·名家赏析				
注音	huán, hái	结构	半包围结构	
笔画数	7	部首	辶	
点位	1.2.5.6.8.9	组词	还原、归还	
造字法	形声（繁体）	知识点	左下包围	
笔顺	一ナ不不不还还			

名家赏析——书体展示（篆、隶、楷、行、草）

還	還	还	还	还
小篆	隶书何绍基	楷书颜真卿	行书敬世江	草书徐伯清

点位 满分10分	坐姿握笔 满分10分	整洁 满分10分	重心 满分15分	笔顺笔画 满分20分	规则 满分15分	结构 满分10分	主笔 满分10分	总分 满分100分

匪

基本常识·名家赏析				
注音	fěi	结构	半包围结构	
笔画数	10	部首	匚	
点位	1.7.8.9	组词	匪徒、匪盗	
造字法	形声	知识点	上左下包围	
笔顺	一丁丁丌丌丌非非非匪			

名家赏析——书体展示（篆、隶、楷、行、草）

匪	匪	匪	匪	匪
小篆	隶书张表碑	楷书颜真卿	行书敬世江	草书孙过庭

点位 满分10分	坐姿握笔 满分10分	整洁 满分10分	重心 满分15分	笔顺笔画 满分20分	规则 满分15分	结构 满分10分	主笔 满分10分	总分 满分100分

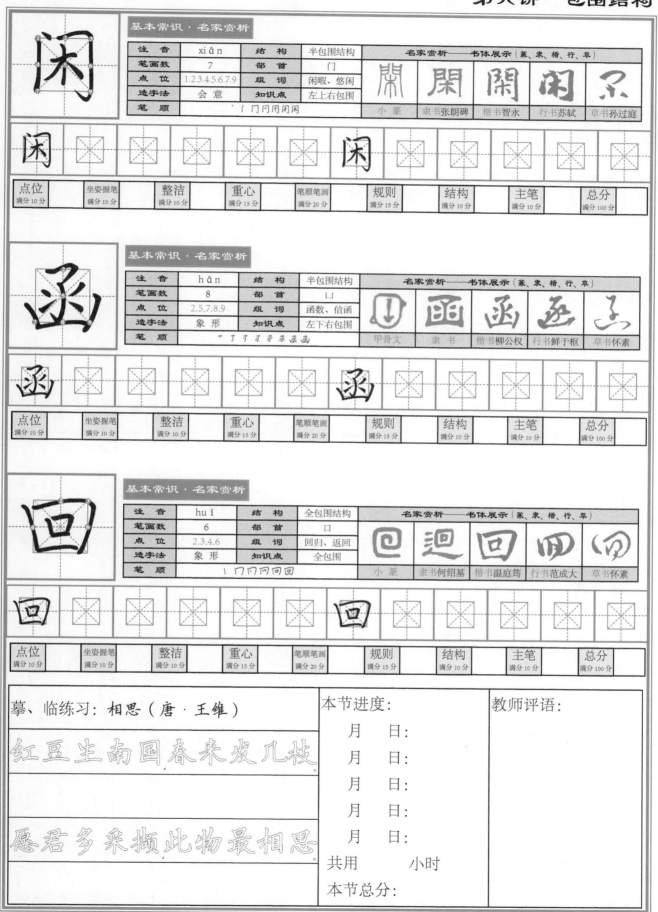

闲

注音	xián	结构	半包围结构	名家赏析——书体展示（篆、隶、楷、行、草）				
笔画数	7	部首	门					
点位	1.2.3.4.5.6.7.9	组词	闲暇、悠闲					
造字法	会意	知识点	左上右包围					
笔顺	丶 丨 门 门 闩 闲 闲			小篆	隶书张朗碑	楷书智永	行书苏轼	草书孙过庭

点位 满分10分	坐姿握笔 满分10分	整洁 满分10分	重心 满分15分	笔顺笔画 满分20分	规则 满分15分	结构 满分10分	主笔 满分10分	总分 满分100分

函

注音	hán	结构	半包围结构	名家赏析——书体展示（篆、隶、楷、行、草）				
笔画数	8	部首	凵					
点位	2.5.7.8.9.	组词	函数、信函					
造字法	象形	知识点	左下右包围					
笔顺	乛 了 了 马 予 承 函 函			甲骨文	隶书	楷书柳公权	行书鲜于枢	草书怀素

点位 满分10分	坐姿握笔 满分10分	整洁 满分10分	重心 满分15分	笔顺笔画 满分20分	规则 满分15分	结构 满分10分	主笔 满分10分	总分 满分100分

回

注音	huí	结构	全包围结构	名家赏析——书体展示（篆、隶、楷、行、草）				
笔画数	6	部首	口					
点位	2.3.4.6	组词	回归、返回					
造字法	象形	知识点	全包围					
笔顺	丨 门 门 冋 回 回			小篆	隶书何绍基	楷书温庭筠	行书范成大	草书怀素

点位 满分10分	坐姿握笔 满分10分	整洁 满分10分	重心 满分15分	笔顺笔画 满分20分	规则 满分15分	结构 满分10分	主笔 满分10分	总分 满分100分

摹、临练习：相思（唐·王维）

红豆生南国春来发几枝

愿君多采撷此物最相思

本节进度：

月　日：

月　日：

月　日：

月　日：

月　日：

共用　　小时

本节总分：

教师评语：

层司还匪闲函回国

层	层	层	层	层	层						
层	尸	尸	尸	尸	尸	层	尸	尸	尸	尸	尸
层						层					
层						层					
司	司	司	司	司	司						
司	刁	刁	刁	刁	刁	司	刁	刁	刁	刁	刁
司						司					
司						司					
还	还	还	还	还	还						
还	辶	辶	辶	辶	辶	还	辶	辶	辶	辶	辶
还						还					
还						还					
匪	匪	匪	匪	匪	匪						
匪	匚	匚	匚	匚	匚	匪	匚	匚	匚	匚	匚
匪						匪					
匪						匪					

闲　门　门　门　门　门　闲　门　门　门　门　门

闲　　　　　　　　闲

闲　□　□　□　□　□　闲

函　函　函　函　函　函

函　凵　凵　凵　凵　凵　函　凵　凵　凵　凵　凵

函　　　　　　　　函

函　□　□　□　□　□　函

回　回　回　回　回　回

回　回　回　回　回　回　回　回　回　回　回　回

回　　　　　　　　回

回　□　□　□　□　□　回

国　国　国　国　国　国

国　口　口　口　口　口　国　口　口　口　口　口

国　　　　　　　　国

国　□　□　□　□　□　国

第七讲　其他结构

其他结构指左右、上下结构中衍生的复杂结构，如左中右结构、上中下结构。另外，本讲还会针对品字形结构的汉字进行解析。

范字讲解标注：■ 区域 A　　■ 区域 B　　■ 区域 C

左中右结构——左中右结构宽度相等

"粥"：左中右各部门繁冗相当的，宽度应大略一致，但应左小右大，稍有区别。左中右宽度相等的字如：辩、粥、瓣、树、御、脚、锻、锄、湘 等。

左中右结构——左窄中右宽

"凝"：左部门笔画较少，所以左窄，中部、右部稍宽。
左窄中右宽的字如：谢、游、傲、嫩、潮、渐、淑、激、傲、嗷 等。

左中右结构——左中窄右宽

"鸿"：左、中部门笔画少，故左中窄右宽；且左部向上下扩展，所以左部应高于中部。左中窄右宽的字如：滁、衍、减、狱、做、瀚、潄、溅 等。

上中下结构——上窄中下宽

"曼"：上、中部均为封闭部门，所以其高度应小于下部，但中部本身是个"扁四"，所以与下部又都宽于上部。上窄中下宽的字如：鼻。

上中下结构——下宽上中窄

"慕"：上部为小发散，中部笔画比上部稍多，但封闭，所以下方发散的部门应既高、又宽、又大。下宽上中窄的字如：莫、燕、赢、蕉 等。

上中下结构——中窄上下宽

"常"：上、下部分别往左右和上下发散，而只有中部是封闭状态，所以上部宽、下部高。中窄上下宽的字如：慧、亮、篮、亨、翼、冀、掌、黄、意、算、寓、愈、高 等。

品字形结构

"品"：品字形结构应上方略正，以提纲挈领，右方大以首尾呼应，稳住阵脚。
品字形的字如：鑫、森、淼、焱、晶 等。

品字形结构

"众"：本字虽为品字形，但其笔画呈发散状态，故应互相穿插避让，且左方部门应满足"捺→点"的避让变化。

粥

基本常识·名家赏析

注音	zhōu、yù	结构	左中右结构
笔画数	12	部首	弓
点位	2.5.7.8.9	组词	米粥、粥厂
造字法	会意	知识点	左中右宽度相等
笔顺	丷 ⼁ 弓 弓 弜 弜 弲 粥 粥 粥 粥 粥		

名家赏析——书体展示（篆、隶、楷、行、草）

小篆	隶书	楷书颜真卿	行书黄庭坚	草书祝枝山

点位 满分10分	坐姿握笔 满分10分	整洁 满分10分	重心 满分15分	笔顺笔画 满分20分	规则 满分15分	结构 满分10分	主笔 满分10分	总分 满分100分

凝

基本常识·名家赏析

注音	níng	结构	左右结构
笔画数	16	部首	冫
点位	2.3.6.8.9	组词	凝结、凝固
造字法	形声	知识点	左窄、中、右宽
笔顺	丶 冫 冫 冫 疒 疒 凝 凝 凝 凝 凝 凝 凝 凝 凝 凝		

名家赏析——书体展示（篆、隶、楷、行、草）

小篆	隶书	楷书褚遂良	行书赵孟頫	草书王羲之

点位 满分10分	坐姿握笔 满分10分	整洁 满分10分	重心 满分15分	笔顺笔画 满分20分	规则 满分15分	结构 满分10分	主笔 满分10分	总分 满分100分

鸿

基本常识·名家赏析

注音	hóng	结构	左右结构
笔画数	11	部首	氵
点位	1.3.5.6	组词	鸿毛、鸿雁
造字法	形声	知识点	左、中窄，右宽
笔顺	丶 冫 氵 氵 氵 氵 鸿 鸿 鸿 鸿 鸿		

名家赏析——书体展示（篆、隶、楷、行、草）

小篆	隶书陈鸿寿	楷书蔡襄	行书敬世江	草书孙过庭

点位 满分10分	坐姿握笔 满分10分	整洁 满分10分	重心 满分15分	笔顺笔画 满分20分	规则 满分15分	结构 满分10分	主笔 满分10分	总分 满分100分

曼

基本常识·名家赏析

注音	màn	结构	上中下结构
笔画数	11	部首	曰
点位	2.5	组词	曼妙、曼谷
造字法	形声	知识点	上窄中下宽
笔顺	丨 冂 曰 曰 曱 曼 曼 曼 曼 曼 曼		

名家赏析——书体展示（篆、隶、楷、行、草）

小篆	隶书桂馥	楷书颜真卿	行书敬世江	草书敬世江

点位 满分10分	坐姿握笔 满分10分	整洁 满分10分	重心 满分15分	笔顺笔画 满分20分	规则 满分15分	结构 满分10分	主笔 满分10分	总分 满分100分

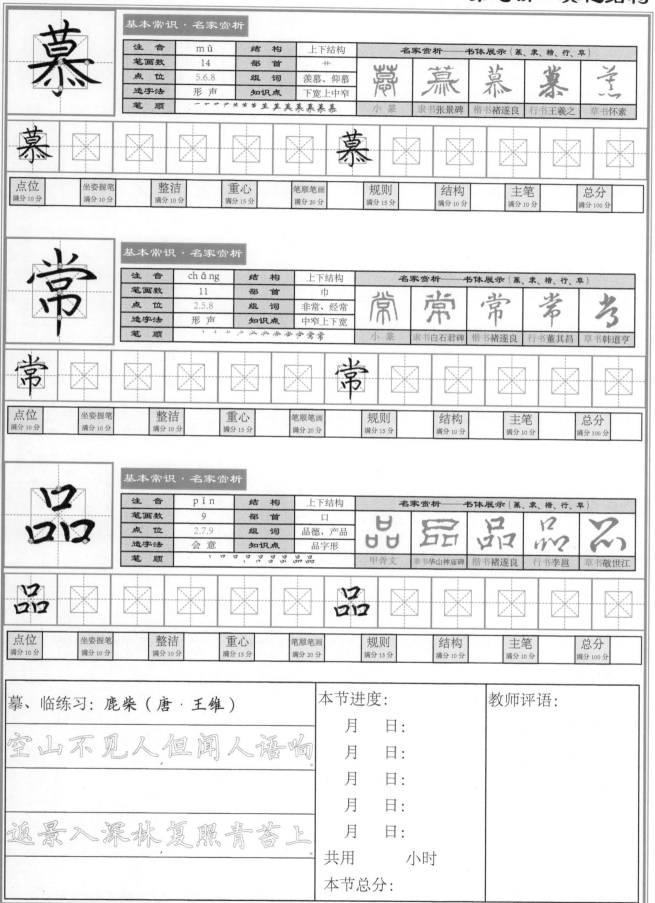

基本常识·名家赏析				名家赏析——书体展示（篆、隶、楷、行、草）				
注　音	mù	结　构	上下结构					
笔画数	14	部　首	艹					
点　位	5.6.8	组　词	羡慕、仰慕					
造字法	形声	知识点	下宽上中窄					
笔　顺	一十廿艹艹艹莒莒荁荁荁荁慕慕慕			小　篆	隶书张景碑	楷书褚遂良	行书王羲之	草书怀素

点位	坐姿握笔	整洁	重心	笔顺笔画	规则	结构	主笔	总分
满分10分	满分10分	满分10分	满分15分	满分20分	满分15分	满分10分	满分10分	满分100分

基本常识·名家赏析				名家赏析——书体展示（篆、隶、楷、行、草）				
注　音	cháng	结　构	上下结构					
笔画数	11	部　首	巾					
点　位	2.5.8	组　词	非常、经常					
造字法	形声	知识点	中窄上下宽					
笔　顺	丨丨丬丬丬丬尚尚常常常			小　篆	隶书白石君碑	楷书褚遂良	行书董其昌	草书韩道亨

点位	坐姿握笔	整洁	重心	笔顺笔画	规则	结构	主笔	总分
满分10分	满分10分	满分10分	满分15分	满分20分	满分15分	满分10分	满分10分	满分100分

基本常识·名家赏析				名家赏析——书体展示（篆、隶、楷、行、草）				
注　音	pǐn	结　构	上下结构					
笔画数	9	部　首	口					
点　位	2.7.9	组　词	品德、产品					
造字法	会意	知识点	品字形					
笔　顺	丨丨口口口口口品品			甲骨文	隶书华山神庙碑	楷书褚遂良	行书李邕	草书敬世江

点位	坐姿握笔	整洁	重心	笔顺笔画	规则	结构	主笔	总分
满分10分	满分10分	满分10分	满分15分	满分20分	满分15分	满分10分	满分10分	满分100分

摹、临练习：鹿柴（唐·王维）

空山不见人　但闻人语响

返景入深林　复照青苔上

本节进度：

月　　日：

月　　日：

月　　日：

月　　日：

月　　日：

共用　　小时

本节总分：

教师评语：

粥

凝

鸿

曼

慕

常

品

众

粥 粥 粥 粥 粥 粥

粥 粥

粥 粥

粥 粥

凝 凝 凝 凝 凝 凝

凝 凝

凝 凝

凝 凝

鸿 鸿 鸿 鸿 鸿 鸿

鸿 鸿

鸿 鸿

鸿 鸿

曼 曼 曼 曼 曼 曼

曼 曼

曼 曼

曼 曼

慕

常

品

众

凌从协队们议对很攻叶峰法地性将外

氵人十阝亻讠又彳工口山氵土卜犭夕

饣				饰							
扌				打							
女				好							
子				孔							
巾				帜							
纟				经							
犭				犹							
弓				强							
马				驰							
火				灯							
木				林							
牛				物							
日				时							
礻				社							
王				环							
车				转							

金				针								
立				端								
目				眼								
鸟				鸵								
矢				知								
衤				袜								
白				的								
禾				和								
米				粥								
舌				舔								
虫				蚊								
耳				耻								
缶				缸								
舟				船								
豆				鼓								
身				躯								

豸				貌							
𧾷				践							
革				鞍							
刂				到							
卩				却							
阝				邮							
彡				形							
攵				致							
䒑				关							
冖				军							
人				全							
十				支							
亠				京							
口				员							
廿				莫							
大				奋							

宀				实								
士				声								
业				常								
夂				冬								
世				带								
艹				革								
父				爸								
癶				采								
耂				考								
夬				春								
四				罗								
宀				空								
癶				登								
西				要								
竹				等								
雨				雷								

部首及例字练习（六）

八				分							
灬				杰							
小				恭							
巛				巡							
疒				疾							
羊				着							
卢				虎							
辶				建							
辶				迁							
爪				爬							
毛				毡							
走				赶							
鬼				魁							
匚				匪							
冂				内							
囗				国							

-50-

求书问道：干支计时法

干支是天干、地支的合称。干支纪时制是中国传统历法的重要组成部分，用来计年、计月、计日、计时辰（计时辰仅用地支）。

天干共十个：甲、乙、丙、丁、戊、己、庚、辛、壬、癸；

地支共十二个：子、丑、寅、卯、辰、巳、午、未、申、酉、戌、亥。

由于干支计月和计日法推算比较繁琐，故在此省略介绍。

一、干支计年

1.将十天干和十二地支按顺序搭配组合成干支，用于纪年。按此排法，当天干十个符号排了六轮与地支十二个符号排了五轮以后，可构成60年。续排下去又将恢复原状，周而复始，即如民间所说的"六十年一甲子"。

2.查看某年的天干与地支。由于干支纪年是从公元4年开始使用的，第一年也就是公元4年为第一个甲子年，那么其他年份就很容易推算出来。

干支表计算方法：公元年份减去3除以60所得余数查干支表，余数为0说明是上一轮的60癸亥计年。如2015年：2015-3=2012，2012÷60，余数为32，查六十年甲子（干支表）32号干支，是乙未计年。

六十年甲子（干支表）

（1）甲子（2）乙丑（3）丙寅（4）丁卯（5）戊辰（6）己巳（7）庚午（8）辛未（9）壬申（10）癸酉（11）甲戌（12）乙亥（13）丙子（14）丁丑（15）戊寅（16）己卯（17）庚辰（18）辛巳（19）壬午（20）癸未（21）甲申（22）乙酉（23）丙戌（24）丁亥（25）戊子（26）己丑（27）庚寅（28）辛卯（29）壬辰（30）癸巳（31）甲午（32）乙未（33）丙申（34）丁酉（35）戊戌（36）己亥（37）庚子（38）辛丑（39）壬寅（40）癸卯（41）甲辰（42）乙巳（43）丙午（44）丁未（45）戊申（46）己酉（47）庚戌（48）辛亥（49）壬子（50）癸丑（51）甲寅（52）乙卯（53）丙辰（54）丁巳（55）戊午（56）己未（57）庚申（58）辛酉（59）壬戌（60）癸亥

3.「十二地支」与"十二生肖"

用十二种动物分别与十二地支相配，成为"十二生肖年"：子鼠、丑牛、寅虎、卯兔、辰龙、巳蛇、午马、未羊、申猴、酉鸡、戌狗、亥猪。如凡是含有"子"的干支年，就是"鼠年"，这一年里出生的人属"鼠"；凡是含有"丑"的干支年就是"牛年"，这一年出生的人属"牛"，以此类推。

二、地支计时

以十二地支来表示十二时辰。

我国传统以十二个时辰来表示一天，一个时辰是二小时（其中前一个小时为"初"，后一个小时为"正"，比如，23:00-24:00为"子初"、24:00-1:00为"子正"）。

二十四小时和十二时辰对照：23:00-1:00子、1:00-3:00丑、3:00-5:00寅、5:00-7:00卯、7:00-9:00辰、9:00-11:00巳、11:00-13:00午、13:00-15:00未、15:00-17:00申、17:00-19:00酉、19:00-21:00戌、21:00-23:00亥。

每个人出生的年、月、日、时辰，共需四个干支来表达。例如，某人生于"庚午"年、"壬午"月、"戊申"日、"辛酉"时，这八个字就是他的"生辰八字"。

干支纪时制以"六十"这个纯粹的数为周期循环纪时，这个制度既不受天文学及历法的影响，又不因朝代更迭而中断。中国不同时期不同王朝的历法（包括皇朝年号纪年法）变化纷纭，但干支循环却始终不断，各地一致。干支纪时制度把各种历法贯穿在一起，对我国历史资料的完整性和连续性起了重要的作用。

了解干支计时法，对于习书者提高书法鉴赏及创作能力（落款）也有着非常重要的作用。

求书问道：易混淆繁简字对照表

简体	繁体	例　词	简体	繁体	例　词	简体	繁体	例　词
致	致	致詞、致命	向	向	方向、一向	舍	舍	茅舍、舍弟
	緻	緻密、精緻		嚮	嚮往、嚮導		捨	捨棄、施捨
几	几	茶几、案几	后	后	皇后、皇天后土	扎	扎	掙扎
	幾	幾乎、幾何、幾個		後	前後、後代		紮	紮腰帶
了	了	了結	尽	盡	盡力、盡頭	胡	胡	胡椒、胡亂
	瞭	瞭解、瞭望		儘	儘管		鬍	鬍鬚（胡须）
干	干	干萬	纤	纖	纖細、纖維	咸	咸	咸豐、老少咸宜
	韆	鞦韆（秋千）		縴	縴繩、拉縴		鹹	鹹魚（咸鱼）
万	万	万姓	沈	沈	沈姓	面	面	面子
	萬	千萬、萬幸		瀋	瀋陽		麵	麵粉、麵條
才	才	才華、人才	岳	岳	岳父、岳姓	钟	鐘	時鐘、鐘表
	纔	方纔、剛纔		嶽	山嶽		鍾	鍾姓、鍾愛
斗	斗	星斗、北斗	里	里	里弄、鄰里	复	復	恢復、報復
	鬥	奮鬥、鬥雞		裏	這裏、城裏		複	複雜、複印
丰	丰	丰姿、丰韻	准	准	批准、准許	须	須	必須
	豐	豐富、豐碑		準	標準、準備		鬚	鬍鬚（胡须）
云	云	人云亦云（云：说之意）	脏	臟	心臟	御	御	御用、駕御
	雲	雲霧、雲集		髒	骯髒		禦	防禦、禦寒
历	歷	歷史、資歷	困	困	困難、困擾	恶	惡	惡劣、可惡、嫌惡
	曆	日曆、農曆		睏	睏倦		噁	噁心
仆	仆	前仆後繼	佣	佣	佣金	党	党	党姓、党項族
	僕	僕人、奴僕		傭	傭工、女傭		黨	黨員、政黨
丑	丑	丑時、小丑	余	余	余姓	签	簽	簽名、簽約
	醜	醜惡、出醜		餘	剩餘		籤	牙籤、求籤
汇	匯	匯聚、外匯	谷	谷	山谷、谷地	匹	匹	匹配、一匹馬
	彙	彙編、詞彙		穀	穀物、穀雨		疋	疋頭、一疋布
出	出	出發、出事	姜	姜	姜姓	布	布	布衣、棉布
	齣	一齣戲		薑	生薑		佈	佈置、發佈
发	發	發動、發貨	卷	卷	考卷	占	占	占卜、占卦
	髮	頭髮		捲	捲簾子		佔	佔領、霸佔
冲	沖	沖喜、沖茶	表	表	表格、表親	并	並	並且、並肩
	衝	衝突、要衝、衝動		錶	鐘錶（钟表）		併	合併、吞併
朴	朴	朴刀、朴姓	范	范	范姓	幸	幸	幸福、幸運
	樸	樸素、簡樸		範	範圍、示範		倖	倖存、僥倖（侥幸）
划	划	划船、划算	板	板	木板、死板	背	背	背部、背叛
	劃	劃火柴、策劃		闆	老闆		揹	揹着、揹債
吁	吁	長吁短嘆	松	松	松樹	游	游	上游、游泳
	籲	籲請（吁请）、呼籲		鬆	鬆動、輕鬆		遊	旅遊、遊說
曲	曲	曲折、彎曲、歌曲	郁	郁	濃郁、郁姓	赞	贊	贊成、贊助
	麯	酒麯		鬱	憂鬱（忧郁）		讚	讚美、稱讚
扣	扣	扣押、折扣	制	制	制止、制度	干	乾	乾淨、乾娘
	釦	衣釦、鈕釦		製	製造、縫製		幹	樹幹、幹部
据	据	拮据	刮	刮	搜刮、刮臉	系	系	歷史系
	據	據說、證據		颳	颳風		係	關係
伙	伙	伙食	征	征	征討、遠征		繫	維繫、繫鞋帶
	夥	夥伴、合夥		徵	徵稅、特徵	台	台	兄台
蒙	蒙	蒙古族、蒙蔽、啟蒙	升	升	公升		臺	舞臺、樓臺
	矇	矇騙		昇	上昇、昇華		檯	寫字檯
	濛	細雨濛濛		陞	陞遷、晉陞		颱	颱風

第 一 讲：万分子光各皱舞凌，　　第 二 讲：丁中在有而月成迁，　　第 四 讲：双折峰却知蚊经沐
第 五 讲：恭蛊否员皇吕冒杰，　　第 六 讲：层司还匪闲函回国，　　第 七 讲：粥凝鸿曼慕常品众

背临检验

第 一 讲：万分子光各皱舞凌，　第 二 讲：丁中在有而月成迁，　第 四 讲：双折峰却知蚊经沐
第 五 讲：恭蛊否员皇吕冒杰，　第 六 讲：层司还匪闲函回国，　第 七 讲：粥凝鸿曼慕常品众

第 一 讲：万分子光各皱舞凌，　　第 二 讲：丁中在有而月成迁，　　第 四 讲：双折峰却知蚊经沐

第 五 讲：恭蛊否员皇吕冒杰，　　第 六 讲：层司还匪闲函回国，　　第 七 讲：粥凝鸿曼慕常品众

		望	岳	
岱	宗	夫	如	何
齐	鲁	青	未	了
造	化	钟	神	秀
阴	阳	割	昏	晓
荡	胸	生	曾	云
决	眦	入	归	鸟
会	当	凌	绝	顶
一	览	众	山	小

《全方法硬笔楷书教程》书法作品纸

课堂信息登记表

姓 名 _____ 性 别 _____ 年 龄 _____

学 校 _____ 班 级 _____ 电 话 _____

班主任 _____ 电 话 _____

培训学校 _____

书法教师 _____ 电 话 _____

课程安排					记 事

学习前后书写对比

学前字迹	学后字迹

本册评测总分（满分 4200）：

"全方法硬笔楷书教程" 系列简介

核心特点：

- ★ 多方法讲授与练习　★ 量化评价体系　★ 应试应考知识点
- ★ 生字配套视频　★ 艺术赏鉴　★ 注重习惯养成和练习反馈

  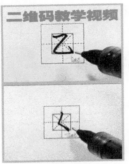  

《笔画讲习及书写专注力训练》：笔法路线图、视频讲解、练字常见问题、专注力练习、基本功练习等。

  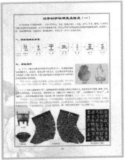  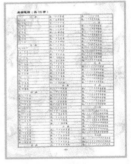

《汉字笔画的运用》：习字口诀、字体辨识、易错笔顺、造字法讲解、笔画大全、练字的基本常识等。

 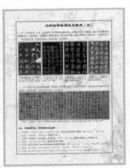   

《汉字的结构规则》：名家赏析、汉字的结构讲解与练习、古诗临摹、作品展示、教师评语、繁简字对照等。

 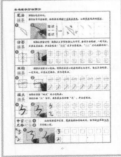  

《高频常用字》：练字法讲解、模仿能力小测试、量化评价及反馈、阶段性检验、多方法讲解及练习等。